Fafounet

a un petit frère

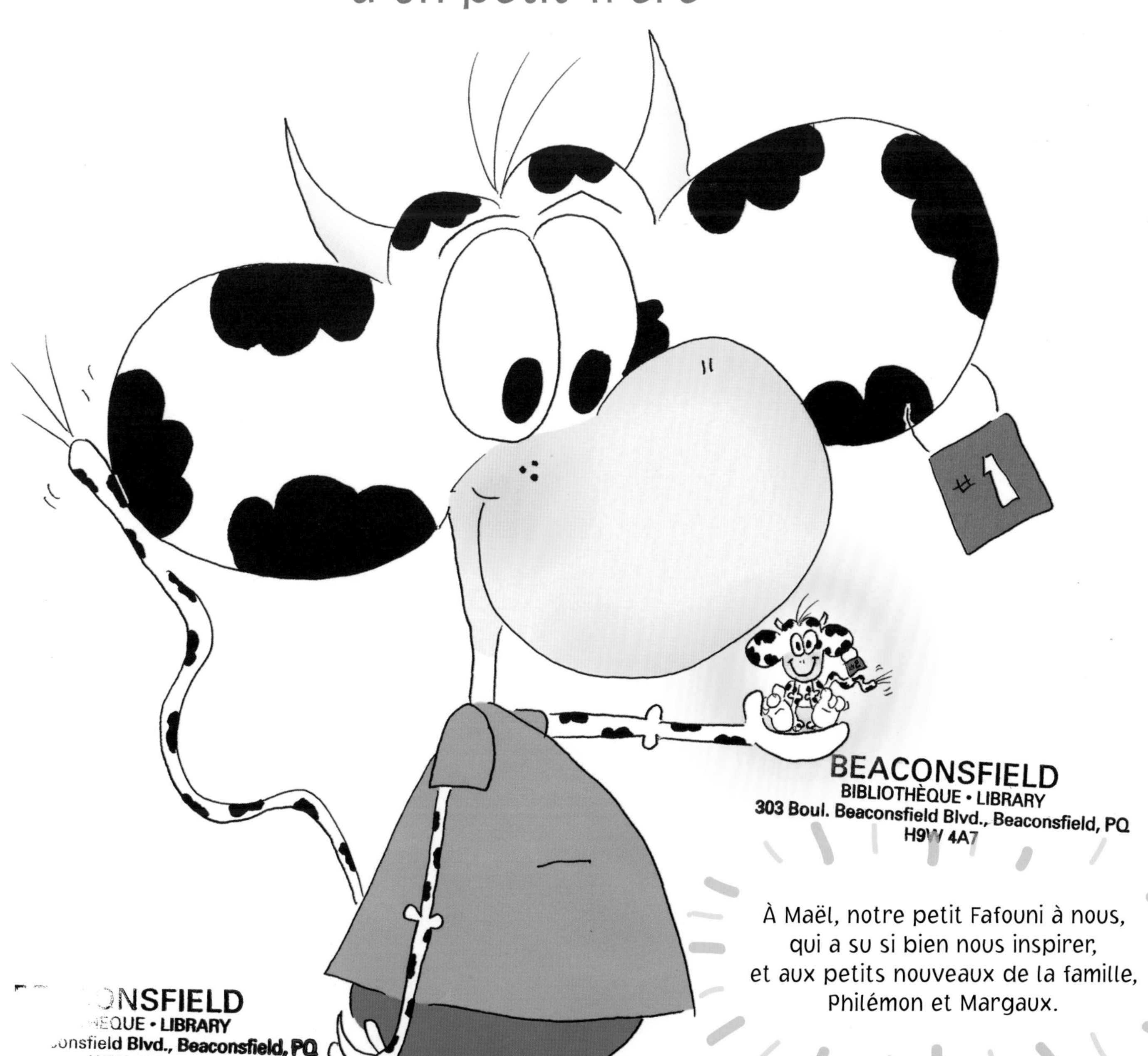

À Maël, notre petit Fafouni à nous,
qui a su si bien nous inspirer,
et aux petits nouveaux de la famille,
Philémon et Margaux.

Mon petit frère Fafouni est très coquin. Il avait tellement hâte d'arriver sur Terre qu'il s'est montré le bout du nez bien avant la date prévue de sa naissance.

DIMANCHE LUNDI MARDI MERCREDI JEUDI VENDREDI SAMEDI
arrivée de
Fafouni!!!

Comme il est arrivé plus tôt
que prévu, il lui manquait deux
taches : une sur le visage et
une sur l'oreille.
Je les ai dessinées au crayon.

#2

Il était tellement minuscule et mignon que je pouvais le cajoler et le tenir dans une seule main.

#1

Tout petit, il faisait les plus longs dodos du monde.

#2

Maintenant, il n'en fait presque plus. C'est parfois un peu fatigant, parce qu'il veut toujours jouer avec moi, même la nuit !

JE VEUX DORMIR...
#1
D'AUTRE?!
#2

J’ai appris à changer sa couche,
encore et encore et encore.

LA CHAMBRE DE FAFOUNI
PiPi ?!
#1
POUBELLE À COUCHES

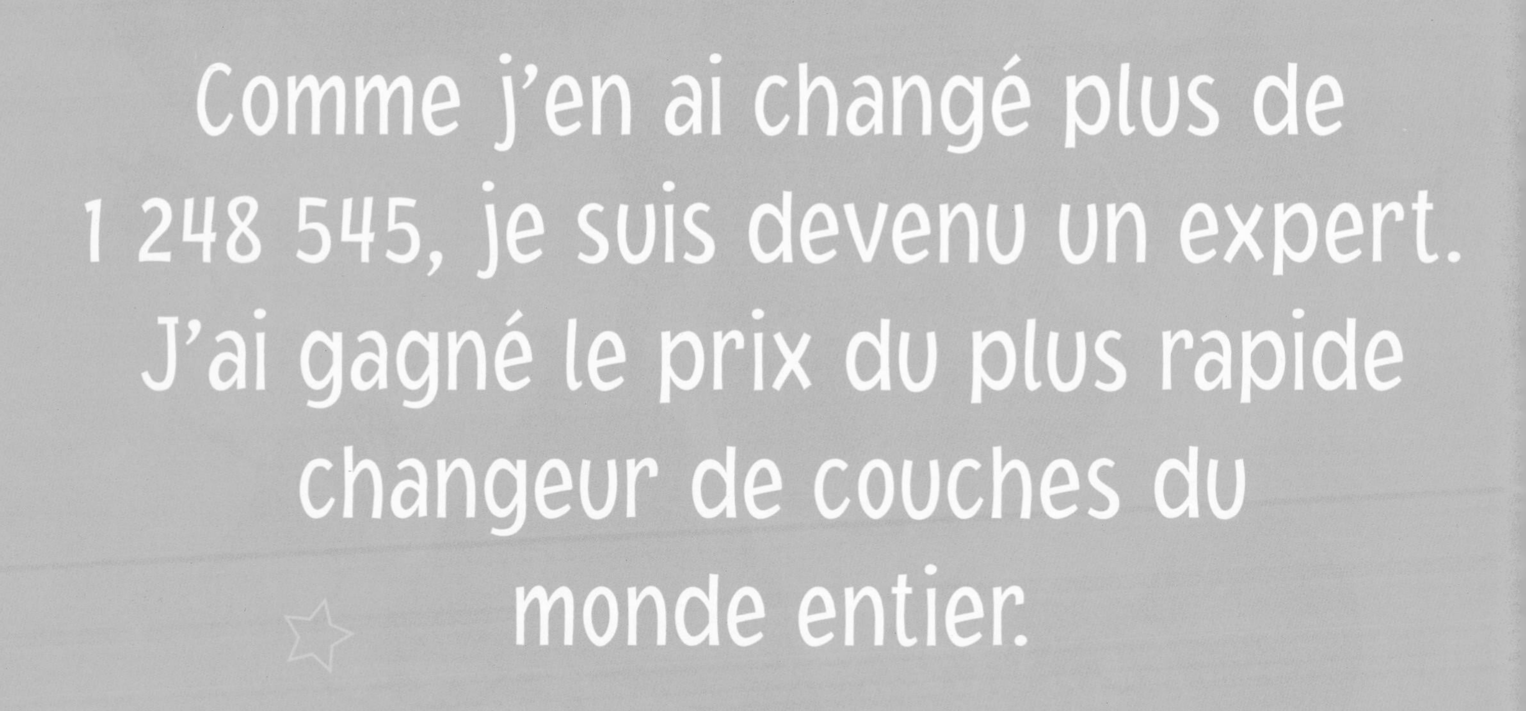

Comme j'en ai changé plus de
1 248 545, je suis devenu un expert.
J'ai gagné le prix du plus rapide
changeur de couches du
monde entier.

Je lui apprends plein de nouveaux mots. Il a parfois un peu de difficulté à répéter après moi. Ce qui est étrange, c'est qu'il appelle tout « badène » ! Son lait, sa poussette, les tomates, son jeu de blocs, ses chaussettes...
Je me demande bien ce que ça signifie...

#2
BADÈNE

Mon petit frère adore boire
du lait, et il mange tout, mais
vraiment TOUT sur son passage.
Même du papier !

#2
NON !
PAS MON PLUS
BEAU DESSIN !

C'est pour ça qu'on l'appelle le
compost de la famille !

#2
compost

Il pointe aussi beaucoup
du doigt.

#2

Il adore son toutou Tirotte,
se coucher par terre sur son gros
coussin et se cacher dans
la petite maison de carton
que je lui ai fabriquée.

LA MAISON
DE
FAFOUNI

Outre le fait de manger, ce qu'il préfère le plus au monde, c'est de faire des câlins famille.
Je t'aime, mon petit Fafouni !

#1

ZZzzzzz...
#2

Trouve les 8 différences
#2

Fafounet

De la même collection, découvrez aussi :

Fafounet— Visite chez le dentiste

Fafounet—Alerte au pays du père Noël

Fafounet et la tempête de neige

Fafounet joue au hockey

Fafounet va à l'école

Fafounet et la chasse aux cocos de Pâques

Fafounet et le secret du temps

Fafounet cherche et trouve

Fafounet s'amuse

Fafounet
une année bien remplie

Réponses :

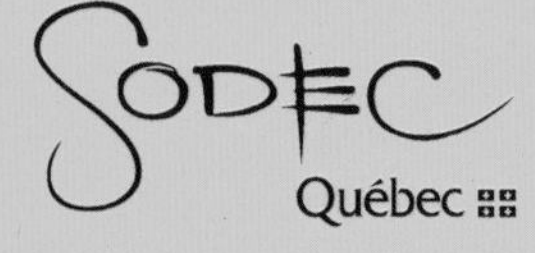

Gouvernement du Québec – Programme de crédit d'impôt
pour l'édition de livres – Gestion Sodec

info@lesmalins.ca

Éditeur : Marc-André Audet
Éditrice au contenu : Katherine Mossalim
Texte et illustrations : Louise D'Aoust et Emanuel Audet
Correction/révision : Pierre-Yves Villeneuve et Dörte Ufkes
Conception graphique et montage : Shirley de Susini
Coloration : Claude Dupras

Dépôt légal – Bibliothèque et Archives nationales du Québec, 2015
Dépôt légal – Bibliothèque et Archives Canada, 2015

Imprimé au Canada.

ISBN: 978-2-89657-295-3

Nous reconnaissons l'aide financière du gouvernement du Canada
par l'entremise du Fonds du livre du Canada pour nos activités d'édition.

Les éditions les Malins inc.
Montréal, Québec